IRIS vouwen *folding*

Maruscha Gaasenbeek

FORTE UITGEVERS | FORTE PUBLISHERS

Inhoud *Contents*

Second printing September 2006
ISBN 90 5877 667 0
NUR 475

This is a publication from
Forte Publishers BV
P.O. Box 1273
3890 BB Zeewolde
The Netherlands

For more information about the creative books available from Forte Uitgevers:
www.fortepublishers.com

Final editing: Gina Kors-Lambers, Steenwijk, the Netherlands
Photography and digital image editing: Fotografie Gerhard Witteveen, Apeldoorn, the Netherlands
Cover and inner design: BADE creatieve communicatie, Baarn, the Netherlands
Translation: Michael Ford, TextCase, Hilversum, the Netherlands

Voorwoord *Preface*

Nieuwe modellen om te IRISvouwen! Houd je van vouwen met papier? Dan is *IRISvouwen with Love* echt iets voor jou. Ben je al langer een fan van deze techniek? Dan zijn de nieuwe vormen in dit boekje een uitdaging om weer aan de gang te gaan. Of je er nu kaarten mee vult, je scrapbook mee versiert of er een wanddecoratie van maakt, het resultaat is altijd super! Het papier, waar de strookjes van zijn gesneden, komt overal vandaan. Dus spaar enveloppen voor hun mooie gekleurde en gedessineerde binnenkant. Kijk op internet bij papierfirma's voor prachtige papiertjes, die je, na bestelling, zo thuis gestuurd krijgt. Snuffel in hobbywinkels. Bewaar cadeau- en bloemenpapier. Kortom doe alles om je papiervoorraad zo groot mogelijk te maken, zodat je uit héél veel kunt kiezen. Jouw keus maakt ieder IRISvouw werkstuk persoonlijk en uniek! Waag je ook eens aan de nieuwe MAXIkaart in hoofdstuk 6, echt iets om iemand bij een heel speciale gelegenheid mee te verrassen, of om zelf aan de muur te hangen.

With love, Maruscha

Hurray, here are some new models for Iris folding. Do you love to fold paper? Then Iris Folding with Love is for you. Have you been a fan of this technique for some time? Then the new patterns in this book will encourage you to keep going. Whether you make cards, decorate your scrapbook or make a decoration to hang on the wall, the results are always excellent. Any type of paper can be used to cut the strips. Therefore, save your envelopes for their attractively coloured and patterned interior, look on the Internet for paper companies which have wonderful paper which you can order and have sent to your home, look around in craft shops and save wrapping paper and paper used to wrap flowers in. In short, do everything possible to make your stock of paper as large as possible so that you have as large a choice as possible. Your choice of paper makes every Iris folding creation unique and personal. Try making the new MAXI card in chapter 6. Now, that is really something to give away as a surprise for a very special occasion or to hang on the wall.

With love, Maruscha

Technieken *Techniques*

Uitgangspunt bij IRISvouwen is het model. De omtrek van dat model snijd je uit de achterkant van je kaart en het gat vul je vervolgens van buiten naar binnen op met gevouwen strookjes papier. Je werkt aan de achterkant van je kaart - dus in spiegelbeeld! - en plakt aan het eind je werkstuk op een andere kaart. Voor een driehoekig model kies je drie verschillende stukjes papier, waarvan de motiefjes en kleuren mooi combineren en contrasteren. Knip of snijd het papier op dezelfde manier in strookjes: b.v. van rechts naar links. Het aantal strookjes per model ligt tussen vier en acht. De breedte van de strookjes is afhankelijk van het model en wordt bij elke kaart genoemd. Je vouwt van alle strookjes direct een randje om en legt soort bij soort in groepjes. Je bedekt vakje na vakje door de nummers te volgen (1, 2, 3, 4, 5 enz.) en steeds van papierkleur te wisselen. De strookjes leg je met de vouwkant naar het midden van het model en je plakt ze links en rechts op de kaart vast met gewoon plakband. Het centrum sluit je met een schitterend stukje holografisch papier.

Het basismodel
(zie kaart 1 blz. 9 en Stap voor stap blz. 5)
Het is belangrijk te starten met het *basismodel*, want daarmee leer je de unieke vouw- en plaktechniek.

De voorbereiding
1. Leg de naturelkleurige kaart van 12,5 x 7,3 cm met de *achterkant* naar je toe.
2. Trek met potlood de omtrek van de punt op je kaart over met hulp van de lichtbak en snijd de vorm uit.
3. Zet een kopie van het basismodel, model 1 uit dit boekje, met tape vast op je snijmat.
4. Leg de kaart met het gat precies op het model (je kijkt weer tegen de achterkant van de kaart aan) en zet hem vast op je snijmat met *alleen* links een paar stukjes schilderstape.
5. Kies drie vellen papier met verschillende motiefjes: papier Rode tulpjes en enveloppen in groen en geel.
6. Knip hiervan stroken van *2 cm breed* en maak stapeltjes van kleur a, kleur b en kleur c.
7. Vouw van elk strookje over de hele lengte een randje (± 0,7 cm) om met de *mooie kant naar buiten*.

Het IRISvouwen
8. Neem één gevouwen strookje van kleur a en leg dit op z'n kop over vak 1 precies tegen de lijn van het model met de vouwkant *naar het midden*. Laat links en rechts 0,5 cm oversteken, de rest knip je af. Daarbij steekt het strookje ook aan de onderkant iets over de rand van het model, zodat vak 1 helemaal bedekt is.
9. Plak het links en rechts op de kaart vast met een klein stukje plakband, blijf daarbij 0,5 cm van de kaartzijkant.
10. Neem kleur b en leg het strookje op vak 2 van het model. Plak weer links en rechts vast.
11. Neem kleur c en leg op vak 3. Plak vast.
12. Je gaat verder met kleur a op vak 4 en kleur b op 5 en kleur c op 6. De strookjes op de vakken 1, 4, 7, 10 en 13 van dit model hebben dus allemaal kleur a. De strookjes op 2, 5, 8, 11 en 14 hebben allemaal kleur b en de strookjes op 3, 6, 9, 12 en 15 zijn van kleur c.

De afwerking
Na vak 15 haal je de kaart los. Op het centrum plak je aan achterkant een stukje holografisch papier. Plak kleine stukjes dubbelzijdig plakband langs de randen, of gebruik foamtape om de dikte te overbruggen. Verwijder het beschermlaagje en bevestig je werkstuk op een dubbele kaart. Gebruik geen lijm, want door alle papierstrookjes staat er spanning op de kaart.

The starting point for Iris folding is the pattern. Cut the outline of the pattern out of the back of your card and then fill the hole from the outside to the inside with strips of folded paper. You work at the back of the card, so you work, in fact, on a mirror image. When you have finished the Iris folding, stick the card onto another card. For a triangular pattern, select three different pieces of paper for which the patterns and colours combine or contrast nicely. Cut all the paper into strips in the same way, for example, from left to right. Depending on the pattern, you will need between four and eight strips. The width of the strips also depends on the pattern and is stated in the instructions given for each card. You need to first fold the edge of the strips over and then sort them into the different colours. Next, cover each section in turn by following the numbers (1, 2, 3, 4, 5, etc.) using a different colour each time. Lay the strips down with the fold facing towards the middle of the pattern and stick the left and right-hand sides of the strips to the card using adhesive tape. Finally, use an attractive piece of holographic paper to cover the hole in the middle.

The basic pattern
(see card 1 on page 9 and Step-by-step on page 5)
It is important to start with the basic pattern, because from this, you will learn the unique folding and sticking technique needed for all the patterns. You will notice that you quickly get used to the technique of Iris folding.

Preparation
1. Lay the natural card (12.5 x 7.3 cm) down with the back facing towards you.
2. With the aid of a light box, copy the triangular pattern onto the card using a pencil and cut it out.
3. Stick a copy of the basic pattern given in this book (pattern 1) to your cutting mat using adhesive tape.
4. Place the card with the hole on the pattern (you should be looking at the back of the card) and only stick the left-hand side of the card to your cutting mat using masking tape.
5. Select three different sheets of paper with different patterns. For the card in the bottom right-hand corner of page 5,

paper with red tulips and green and yellow envelopes have been used.
6. Cut 2 cm wide strips from the paper and make separate piles of colour A, colour B and colour C.
7. Fold the edge (approximately 0.7 cm wide) of each strip over with the nice side facing outwards.

Iris folding
8. Take a folded strip of colour A and place it upside down over section 1, exactly against the line of the pattern with the folded edge facing towards the middle. Allow 0.5 cm to stick out on the left and right-hand sides and cut the rest off. By doing so, the strip will also slightly stick out over the edge of the pattern at the bottom, so that section 1 is totally covered.
9. Stick the strip to the card on the left and right-hand sides using a small piece of adhesive tape, but remain 0.5 cm from the edge of the card.
10. Take a strip of colour B and place it on section 2 of the pattern. Tape the left and right-hand sides to the card.
11. Take a strip of colour C. Place this on section 3 and stick it into place.
12. Start again with colour A on section 4, colour B on section 5 and colour C on section 6. The strips on sections 1, 4, 7, 10 and 13 of this pattern are all of colour A. The strips of sections 2, 5, 8, 11 and 14 are all of colour B. The strips of sections 3, 6, 9, 12 and 15 are all of colour C.

Finishing
Carefully remove the card after finishing section 15 and stick a piece of holographic paper in the middle on the back of the card. Stick small pieces of double-sided adhesive tape along the edges or use foam tape to bridge the height difference. Remove the protective layer from the double-sided adhesive tape and stick your design onto a double card. Do not use glue, because all the paper strips place pressure on the card.

Stap voor stap *Step-by-step*

1. Verras jezelf met de prachtigste papiertjes!
1. *Surprise yourself with the most wonderful types of paper.*

2. Snijd de punt uit de achterkant van de enkele kaart.
2. *Cut the triangular pattern out of the back of a piece of card.*

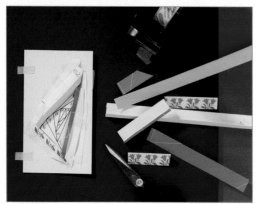

3. Plak de gevouwen strookjes op de kaart.
3. *Stick the folded strips on the card.*

4. Klap de kaart tussendoor open.
4. *Fold the card open from time to time.*

Gebruikte materialen *Materials*

Kaarten maken

- Kaartenkarton:
  Canson Mi-Teintes (C), cArt-us (cA), Papicolor (P)
- snijmesje, snijmat
- liniaal met metalen snijrand (Securit)
- plakband
- dubbelzijdig plakband
- foamtape
- schilderstape
- diverse ponsen
- diverse hoekponsen
  (MakeMe!, Fiskars, Reuser, Carl, Lim)
- randornament ponsen (Fiskars, Vaessen)
- schaar en silhouetschaartje
- figuurscharen (Fiskars)
- hoekscharen (Fiskars)
- fineliner zwart
- fotolijm
- lichtbak

Het IRISvouwen

strookjes van: gebruikte enveloppen • IRISvouwpapier (hierna: IVpapier) • Origami papier bij Ori-Expres (O-E) • Designpapier (afm. 50x70 cm of 70x100 cm) bij Damen (D). Het centrum: holografisch papier.

De modellen

De modellen voor alle kaarten staan op ware grootte in dit boekje. Neem de omtrek over met de lichtbak. Over het algemeen zijn de vormen goed zelf uit de kaart te snijden of te knippen. Voor het kroontje, de kinderwagen, het geluks-handje en de koffiemolen zijn speciale gestanste kaarten verkrijgbaar.

To make the cards:

- *Card:*
  Canson Mi-Teintes (C), cArt-us (cA) and Papicolor (P)
- *Knife and cutting mat*
- *Ruler with a metal cutting edge (Securit)*
- *Adhesive tape*
- *Double-sided adhesive tape*
- *Foam tape*
- *Masking tape*
- *Various punches*
- *Various corner punches*
  (MakeMe!, Fiskars, Reuser, Carl and Lim)
- *Border ornament punches (Fiskars, Vaessen)*
- *Scissors and silhouette scissors*
- *Figure scissors (Fiskars)*
- *Corner scissors (Fiskars)*
- *Black fine-liner*
- *Photo glue*
- *Light box*

Iris folding

For the strips: Used envelopes • Iris folding paper (IF paper) • Origami paper from Ori-Expres (O-E) • Pattern paper (50 x 70 cm or 70 x 100 cm) from Damen (D). For the middle of the card: Holographic paper.

The patterns

Full-size examples of all the patterns are given in this book. Use a light box to copy the outline onto the card. The shapes are easy to cut out. Specially punched cards are available for the crown, the pram, the good luck hand and the coffee grinder.

Basismodel punt
Basic triangular pattern

Volg voor alle kaarten de werkwijze van het basismodel (zie Technieken).

All the cards are made according to the instructions given for the basic pattern (see Techniques).

Kaart 1 *Card 1*

Karton 14,8 x 21 cm dottergeel P01, 13 x 7,7 cm parelrood en 12,5 x 7,3 cm naturel cA211 • Model 1 • 2 cm brede strookjes van designpapier Rode tulpjes (13 FIO 029 bij D) en enveloppen in groen en geel (Anoz en ANWB) • Holografisch papier goud • 3-in-1 hoekpons Flowers

Card: bright yellow P01 (14.8 x 21 cm), mother-of-pearl red (13 x 7.7 cm) and natural cA211 (12.5 x 7.3 cm) • Pattern 1 • 2 cm wide strips of red tulips pattern paper (13 FIO 029 from D) and green and yellow envelopes • Gold holographic paper • Flowers 3-in-1 corner punch

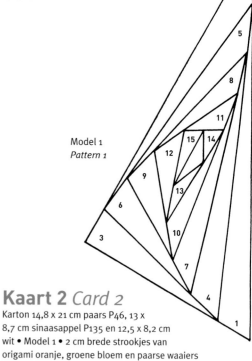

Model 1
Pattern 1

Kaart 2 *Card 2*

Karton 14,8 x 21 cm paars P46, 13 x 8,7 cm sinaasappel P135 en 12,5 x 8,2 cm wit • Model 1 • 2 cm brede strookjes van origami oranje, groene bloem en paarse waaiers (13004, 13037 en 12027) • Holografisch papier goud • Hoekschaar Art Deco (F)

Card: purple P46 (14.8 x 21 cm), orange P135 (13 x 8.7 cm) and white (12.5 x 8.2 cm) • Pattern 1 • 2 cm wide strips of orange, green flower and purple fan origami paper (13004, 13037 and 12027) • Gold holographic paper • Art Deco corner scissors (F)

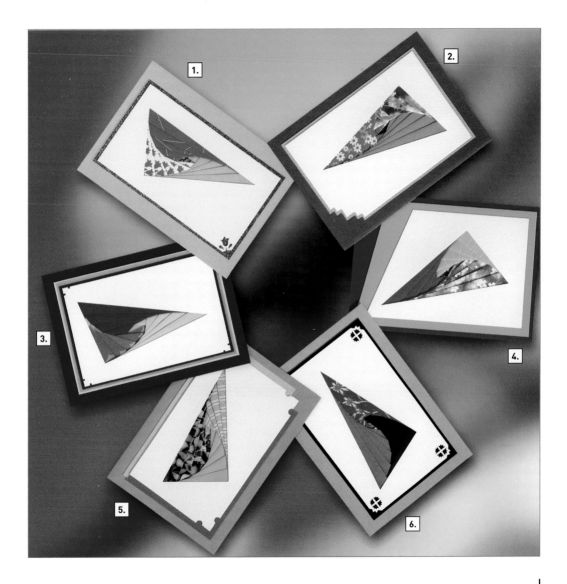

Kaart 3 *Card 3*

Karton 14,8 x 21 cm en 12,5 x 8,2 cm donkerrood cA519, 13,2 x 9 cm geel cA275, 12,8 x 8,6 cm lila P14 en 12 x 7,8 cm wit • Model 1 • 2 cm brede strookjes van designpapier Roze harten (9 lipa 908 bij D), envelop donkerrood (Essent) en origami roze (13045) • Hoekpons Speer (Carl)

Card: dark red cA519 (14.8 x 21 cm and 12.5 x 8.2 cm), yellow cA275 (13.2 x 9 cm), lilac P14 (12.8 x 8.6 cm) and white (12 x 7.8 cm) • Pattern 1 • 2 cm wide strips of pink heart pattern paper (9 lipa 908 from D), a dark red envelope and pink origami paper (13045) • Spear corner punch (Carl)

Kaart 4 *Card 4*

Karton 14,8 x 21 cm kersenrood P133, 14,2 (12) x 9,7 cm lentegroen cA305, 12,7 (9,4) x 8,5 cm wit • Model 1 • 2 cm brede strookjes van origami rozerood bloem (12027), enveloppen rood en felgroen (Utr. Nieuwsblad en CFI) • Holografisch papier goud
Schuin de rode en de witte kaart af en snijd de driehoek uit de witte kaart.

Card: cherry red P133 (14.8 x 21 cm), spring green cA305 (14.2 (12) x 9.7 cm) and white (12.7 (9.4) x 8.5 cm • Pattern 1 • 2 cm wide strips of red-pink flower origami paper (12027) and red and bright green envelopes • Gold holographic paper Cut the red and white card at an angle and cut the triangle out of the white card.

Kaart 5 *Card 5*

Karton 14,8 x 21 cm varengroen P137, 13,4 x 7,5 cm zonnebloem P134, 12,2 x 8,2 cm cerise cA440 en 12,5 x 8 cm naturel cA211 • Model 1 • 2 cm brede strookjes van designpapier Pasta (10 pap 382 bij D) en origami roze streep en groen (13039 en 13045) • Holografisch papier goud • Hoekpons Pijl

Card: fern green P137 (14.8 x 21 cm), sunflower P134 (13.4 x 7.5 cm), cerise cA440 (12.2 x 8.2 cm) and natural cA211 (12.5 x 8 cm) • Pattern 1 • 2 cm wide strips of pasta design paper (10 pap 382 from D) and pink striped and green origami paper (13039 and 13045) • Gold holographic paper • Arrow corner punch

Kaart 6 *Card 6*

Karton 14,8 x 21 cm sering cA453, 13 x 9,5 cm spiegel paars P124 en 12,5 x 8 cm wit • Model 1 • 2 cm brede strookjes van designpapier Bloemen rozerood (7 gw 198 bij D) en origami lila en paars (11008) • Holografisch papier zilver • 3-in-1 hoekpons Flowers (F)

Card: lilac cA453 (14.8 x 21 cm), purple mirror P124 (13 x 9.5 cm) and white (12.5 x 8 cm) • Pattern 1 • 2 cm wide strips of red-pink flower pattern paper (7 gw 198 from D) and lilac and purple origami paper (11008) • Silver holographic paper • Flowers 3-in-1 corner punch (F)

Kroontje *Crown*

Het kroontje wordt gemaakt volgens de beschrijving bij kaart 1.

The crown is made according to the instructions given for card 1.

Kaart 1 *Card 1*

Karton 14,8 x 21 cm oranje cA545, 11 x 8 cm wit • 14 (12,7) x 8,8 cm Perkamentpapier fantasie maïsgeel (1593) • 11,5 x 8,5 cm papier zilver P300101 • Model 2 • 2 cm brede strookjes van enveloppen in grijs, oranje en terra (Golden Tulip, Min.VW&S en RDW) en origami oranjerood (12073) • Holografisch papier zilver • Figuurschaar Seagull (F)
Snijd het kroontje uit de witte kaart en vul met de strookjes. Plak bij het kruisje een stukje dubbelzijdig plakband op het kaartkarton, want het strookje op vak 7 loopt door. Trek potloodlijnen op 0,5 cm langs de zijkanten van het perkamentpapier en knip die randen met de figuurschaar. Knip figuurstrookjes van zilver en plak ze boven het kroontje.

Card: orange cA545 (14.8 x 21 cm), white (11 x 8 cm) and sweetcorn fantasy parchment paper 1593 (14 (12.7) x 8.8 cm) • Silver paper P300101 (11.5 x 8.5 cm) • Pattern 2 • 2 cm wide strips of grey, orange and terracotta envelopes and orange-red origami paper (12073) • Silver holographic paper • Seagull figure scissors (F)
Cut the crown out of the white card and fill the hole with strips. Stick a piece of double-sided adhesive tape on the card marked by the cross, because the strip of section 7 runs over it. Use a pencil to draw lines 0.5 cm from the sides of the parchment paper and cut along these lines using the figure scissors. Cut strips of silver paper using the figure scissors and stick them on the top of the crown.

Kaart 2 *Card 2*

Karton 14,8 x 21 cm en 12 x 7,8 cm wit, 13 x 9 cm ijsblauw P42 en 12,5 x 8,5 cm kersenrood P133 • Model 2 • 2 cm brede strookjes van papier Bloemen rood en beige/blauw (7 gw 198 en 13 cp 712 bij D) en envelop blauw (cps) • Holografisch papier zilver • 3-in-1 hoekpons Flowers (F)

Card: white (14.8 x 21 cm and 12 x 7.8 cm), ice blue P42 (13 x 9 cm) and cherry red P133 (12.5 x 8.5 cm) • Pattern 2 • 2 cm wide strips of red and beige/blue flower paper (7 gw 198 and 13 cp 712 from D) and a blue envelope • Silver holographic paper • Flowers 3-in-1 corner punch

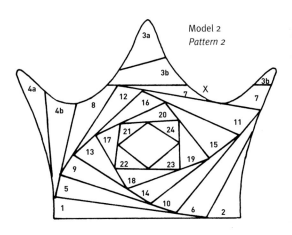

Model 2
Pattern 2

Kaart 3 *Card 3*

Karton 14,8 x 21 cm en 12 x 8,3 cm wit • 12,4 x 8,8 cm papier goud • 14,5 x 10 cm geborduurd papier goud • Model 2 • 2 cm brede strookjes van origami goudblad, roze blad en roze (14040, 12073 en 13032) en goudpapier • Holografisch papier goud • Hand ponstang Ster (F)

Card: white (14.8 x 21 cm and 12 x 8.3 cm) • Gold paper (12.4 x 8.8 cm) • Gold embroidered paper (14.5 x 10 cm) • Pattern 2 • 2 cm wide strips of gold leaf, pink leaf and pink origami paper (14040, 12073 and 13032) and gold paper • Gold holographic paper • Star hand punch (F)

Kaart 4 *Card 4*

Karton 14,8 x 21 cm helsteenrood C505, 13 x 9 cm donker-blauw P06 en 12 x 8,3 cm wit • Model 2 • 2 cm brede strookjes van papier Sport 2x (19 lin 20290 bij D) en origami blauw en bruin (13032 en 13039) • Holografisch papier zilver • Hoekpons Fontein (Lim)

Card: brick red C505 (14.8 x 21 cm), dark blue P06 (13 x 9 cm) and white (12 x 8.3 cm) • Pattern 2 • 2 cm wide strips of sports paper (twice) (19 lin 20290 from D) and blue and brown origami paper (13032 and 13039) • Silver holographic paper • Fountain corner punch (Lim)

Kaart 5 *Card 5*

Karton 14,8 x 21 cm en 11 x 8 cm wit, 12,2 x 8,7 cm roest P186 • 14,3 x 10 cm geborduurd papier zilver • Model 2 • 2 cm brede strookjes van papier Servies blauw (17 FIO 310 bij D), origami oranje (12073) en 2x holografisch mat zilver • Holografisch papier zilver • Kroontjes uit de figuurponstang

Card: white (14.8 x 21 cm and 11 x 8 cm), rust P186 (12.2 x 8.7 cm) and silver embroidered paper (14.3 x 10 cm) • Pattern 2 • 2 cm wide strips of china blue paper (17 FIO 310 from D), orange origami paper (12073) and 2x mat silver holographic paper • Silver holographic paper • Crowns from the figure punch

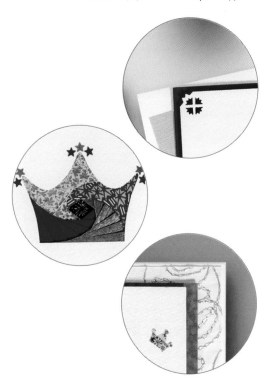

Kaart blz.1 *Card on page 1*

Karton 13 x 26 cm en 9 x 9 cm wit, 9,5 x 9,5 cm oranje cA545 • 12,5 x 12,5 cm vellum Blauwe druifjes (Sirius) • Model 2 • 2 cm brede strookjes van papier Bladrank blauw (cp 81 bij D) en van 3 blauwe enveloppen (o.a. Triodosbank) • Holografisch oranje • Hartjes uit de handponstang

Card: white (13 x 26 cm and 9 x 9 cm) and orange cA545 (9.5 x 9.5 cm) • Grape hyacinths vellum (Sirius) (12.5 x 12.5 cm) • Pattern 2 • 2 cm wide strips of blue leaf vine paper (cp 81 from D) and three blue envelopes • Orange holographic paper • Hearts from the hand punch

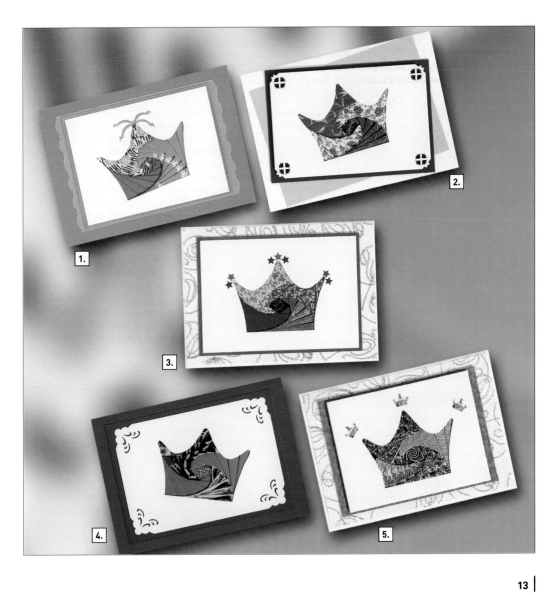

Kinderwagen en poppenwagentje
Pram and doll's pram

De kinderwagen wordt gemaakt volgens de beschrijving bij kaart 1, (patroon op blz. 32) het poppenwagentje volgens kaart 2.

The pram is made according to the instructions given for card 1 (pattern on page 32) and the doll's pram is made according to the instructions given for card 2.

Kaart blz.3 *Card on page 3*

Karton 14,8 x 21 cm lila P14, 14 x 9,5 cm zachtgeel P132, 9,2 x 7,6 cm zonnebloem P134 en 8,5 x 7,3 cm roze cA481
• 10,7 x 8,2 cm origami roze/geel • Model 4 • 2 cm brede strookjes van origami gele stip, roze bloem en 2x roze/geel (13013, 13008 en 12072) • Holografisch papier roze • Fineliner zwart • Figuurpons Libel • 3-in-1 hoekpons Celestial

Card: lilac P14 (14.8 x 21 cm), pale yellow P132 (14 x 9.5 cm), sunflower P134 (9.2 x 7.6 cm) and pink cA481 (8.5 x 7.3 cm)
• Pink/yellow origami paper (10.7 x 8.2 cm) • Pattern 4
• 2 cm wide strips of yellow dot, pink flower and 2x pink/yellow origami paper (13013, 13008 and 12072) • Pink holographic paper • Black fine-liner • Dragonfly figure punch
• Celestial 3-in-1 corner punch

Kaart 1 *Card 1*

Karton 14,8 x 21 cm cerise P33 en 13,3 x 9,5 cm bloesem P34
• Model 3 • 2 cm brede strookjes van envelop rozerood, IV papier paars, origami roze bloem en streep (13038 en 13039)
• 9 x 9 cm rozerood • Holografisch papier zilver • Stickers roze (Tim Coffey)
Snijd de bak met kap uit de lichte kaart. Vul met de strookjes.

Trek het stangenstelsel over op het rozerode papier en knip uit. Teken een cirkel Ø 2 cm op een paarse strook, vouw om en knip 2 wielen tegelijk uit. Doe dit ook met een cirkel Ø 1,4 cm op een gebloemde strook. Plak stangen en wielen om en om op en versier de kaart met de stickers.

Card: cerise P33 (14.8 x 21 cm) and blossom P34 (13.3 x 9.5 cm)
• Pattern 3 • 2 cm wide strips from a red-pink envelope, purple IF paper, pink flower origami paper and striped origami paper (13038 and 13039) • Red-pink paper (9 x 9 cm) • Silver holographic paper • Pink stickers (Tim Coffey)
Cut the basket and the hood out of the light-coloured card and fill them with strips. Copy the frame onto the red-pink paper and cut it out. Draw a circle (Ø 2 cm) on a piece of purple paper, fold it double and cut out two wheels. Do the same on a piece of flowered paper using a circle with a diameter of 1.4 cm. Stick the frame and the wheels on the card in turn and use stickers to decorate the card.

Kaart 2 *Card 2*

Karton 14,8 x 21 cm goudgeel cA247, 13,3 x 8,4 cm zachtgeel P132, 12 x 7,5 cm goud P102 en 11,5 x 7,5 cm geel cA275 • Model 4 • 2 cm brede strookjes van envelop geel, origami beige takjes, beige hartjes en geel (13038, 13039 en 11008) • 5 x 3 cm origami goudblaadje voor de kap (14040) • Holografisch papier goud • Fineliner zwart • Randpons Roos
Pons de zijkanten van de kleinste kaart en snijd bak met kapje uit. Bedek de kap met een dubbelgevouwen stuk papier. Teken een cirkel Ø 1 cm op een strook goudblaadje, vouw om en knip 2 wieltjes tegelijk uit. Knip 2,2 x 0,2 cm voor de duwstang. Plak alles op en trek de zwarte lijntjes.

Card: golden yellow cA247 (14.8 x 21 cm), pale yellow P132 (13.3 x 8.4 cm), gold P102 (12 x 7.5 cm) and yellow cA275 (11.5 x 7.5 cm) • Pattern 4 • 2 cm wide strips from a yellow envelope, beige branch origami paper, beige hearts origami paper and yellow origami paper (13038, 13039 and 11008) • 5 x 3 cm gold leaf origami paper for the hood (14040) • Gold holographic paper • Black fine-liner • Rose border punch Punch the sides of the smallest card and cut out the basket and the hood. Cover the hood using a piece of paper which has been folded double. Draw a circle (Ø 1 cm) on a piece of gold leaf paper, fold it double and cut out two wheels. Cut a strip (2.2 x 0.2 cm) for the push bar. Stick everything on the card and draw the black lines.

Kaart 3 *Card 3*

Karton 14,8 x 21 cm geel cA275 en 10,5 x 8,5 cm citroen C101 • 12,5 x 9,2 cm origami geel Jeans (12054) en 11,2 x 9,2 cm origami geel Kratz (12121) • Model 4 • 2 cm brede strookjes van origami geel Jeans, geel Kratz, effen warmgeel en gele streep (13008 en 13039) • Holografisch goud • Fineliner zwart • 3-in-1 hoekpons Lace

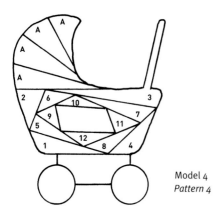

Model 4
Pattern 4

Card: yellow cA275 (14.8 x 21 cm) and lemon C101 (10.5 x 8.5 cm) • Yellow denim 12054 (12.5 x 9.2 cm) and Kratz yellow origami paper 12121 (11.2 x 9.2 cm) • Pattern 4 • 2 cm wide strips of yellow denim and Krats yellow, warm yellow and yellow striped origami paper (13008 and 13039) • Gold holographic paper • Black fine-liner • Lace 3-in-1 corner punch

Kaart 4 *Card 4*

Karton 14,8 x 21 cm bloesem P34, 13,2 x 9,4 cm kersenrood P133 en 12,8 x 9 cm zachtroze cA480 • Model 3 • 2 cm brede strookjes van enveloppen in aubergine en roze, origami roze hartjes (13039) en papier Bloemen rozerood (7 gw 198 bij D) • 9 x 9 cm aubergine • Holografisch papier zilver • Hoekpons Vlinder

Card: blossom P34 (14.8 x 21 cm), cherry red P133 (13.2 x 9.4 cm) and pale pink cA480 (12.8 x 9 cm) • Pattern 3 • 2 cm wide strips from aubergine and pink envelopes, pink heart origami paper (13039) and red-pink flower paper (7 gw 198 from D) • Aubergine paper (9 x 9 cm) • Silver holographic paper • Butterfly corner punch

Kaart 5 *Card 5*

Karton 14,8 x 21 cm citroen C101, 10,8 x 8,9 cm zalm cA482, 10,3 x 8,5 cm zonnebloem P134 en 9 x 7,5 cm geel • Model 4 • 2 cm brede strookjes van origami bloem geel en zalmgele streep (13008 en 12014) • 5 x 3 cm zalmgele streep voor de kap • Holografisch papier goud • Fineliner zwart • 3-in-1 hoekpons Celestial

Card: lemon C101 (14.8 x 21 cm), salmon cA482 (10.8 x 8.9 cm), sunflower P134 (10.3 x 8.5 cm) and yellow (9 x 7.5 cm) • Pattern 4 • 2 cm wide strips of yellow flower and striped salmon yellow origami paper (13008 and 12014) • Salmon yellow paper for the hood (5 x 3 cm) • Gold holographic paper • Black fine-liner • Celestial 3-in-1 corner punch

Tennisracket en VW Beetle
Tennis racket and VW Beetle

Het tennisracket wordt gemaakt volgens de beschrijving bij kaart 1, de auto volgens kaart 2 (patroon op blz. 22).

The tennis racket is made according to the instructions given for card 1 and the car is made according to the instructions given for card 2 (pattern on page 22).

Kaart 1 *Card 1*

Karton 14,8 x 21 cm aquablauw cA427 en 13,8 x 9,5 cm wit • Model 5 • 2 cm brede strookjes van enveloppen blauw 3x en IVpapier blauw 2x • 7 x 3 cm papier blauw voor het handvat • Holografisch papier zilver • Multihoekpons Pons twee hoeken van de witte kaart en snijd het racket, zonder handvat, uit. Vul het ovaal met de strookjes. Trek met potlood het handvat over, knip het uit en plak het op.

Card: aqua blue cA427 (14.8 x 21 cm) and white (13.8 x 9.5 cm) • Pattern 5 • 2 cm wide strips from three blue envelopes and two pieces of blue IF paper • Blue paper for the handle (7 x 3 cm) • Silver holographic paper • Multi corner punch Punch two corners of the white card and cut out the racket without the handle. Fill the oval with the strips of paper. Use a pencil to copy the handle onto the blue paper. Cut it out and stick it on the card.

Kaart 2 *Card 2*

Karton 14,8 x 21 cm wijnrood P36 en 14,5 x 9 cm zandgeel C407 • Model 6 • 2 cm brede strookjes van enveloppen in beige en rood, origami geel 2x en zwart (13039 en 13004) en papier Engeltjes (21 ct 01 bij D) • 8 x 3 cm origami gele streep voor A • 12 x 4 cm origami zwart voor B en C • Holografisch

Model 5
Pattern 5

papier goud • Hoekpons Accolade • Fineliner zwart Snijd de auto uit het zandgele karton en volg aan de onderkant de stippellijn. Leg de kaart omgekeerd op het model. Bedek de delen A met gestreept papier en deel B met zwart papier. Vul de auto met de IRIS vouw strookjes. Draai de kaart om. Teken 2 wielen Ø 2 cm, knip ze uit en plak ze op. Teken de antenne.

Card: wine red P36 (14.8 x 21 cm) and sand yellow C407 (14.5 x 9 cm) • Pattern 6 • 2 cm wide strips from beige and red envelopes, yellow origami paper (2x) and black origami paper (13039 and 13004) and angel paper (21 ct 01 from D) • Yellow striped origami paper for A (8 x 3 cm) • Black origami paper for B and C (12 x 4 cm) • Gold holographic paper • Bracket corner punch • Black fine-liner

Cut the car out of the sand yellow card and cut along the dotted line at the bottom. Place the card upside down on the pattern. Cover the A sections with striped paper and the B and C sections with black paper. Fill the car with the Iris folding strips. Turn the card over. Draw two wheels (Ø 2 cm), cut them out and stick them on the card. Draw the aerial.

Kaart 3 *Card 3*

Karton 14,8 x 21 cm maïs C470 en 14,4 x 9,5 cm lazuurblauw C590 • Model 5 • 2 cm brede strookjes van enveloppen in beige en 2x rood en papier Vlechtwerk rood (cp 174 bij D) • 7 x 3 cm papier beige voor handvat • 13 x 5 cm papier rood voor het 2^e racket • Holografisch papier goud • 3-in-1 hoekpons Lace
Knip na het IRISvouwen het rode racket en het beige handvat en plak ze op.

Card: sweetcorn C470 (14.8 x 21 cm) and azure C590 (14.4 x 9.5 cm) • Pattern 5 • 2 cm wide strips from one beige envelope and two red envelopes and plaited red paper (cp 174 from D) • Beige paper for the handle (7 x 3 cm) • Red paper for the 2nd racket (13 x 5 cm) • Gold holographic paper • Lace 3-in-1 corner punch
After finishing the Iris folding, cut out the red tennis racket and the beige handle and stick them on the card.

Kaart 4 *Card 4*

Karton 14,8 x 21 cm oudrood cA517, 13,7 x 8 cm beige en 13,7 x 3 cm gebroken wit 2x • Model 6 • 2 cm brede strookjes van enveloppen rood 2x, origami rood 3x (12054, 13031, 13039) • 8 x 3 cm origami roodbeige streep (13031) voor A • 12 x 4 cm envelop rood voor B en C • Holografisch papier brons • Randornament pons Touw (F) • Fineliner zwart
Pons de smalle kartonstroken en plak ze boven en onder de beige kaart.

Card: old red cA517 (14.8 x 21 cm), beige (13.7 x 8 cm) and off-white (two pieces of 13.7 x 3 cm) • Pattern 6 • 2 cm wide strips from two red envelopes and 3x red origami paper (12054, 13031 and 13039) • Red beige striped origami paper (13031) for section A (8 x 3 cm) • Red envelope for sections B and C (12 x 4 cm) • Bronze holographic paper • Rope border ornament punch (F) • Black fine-liner
Punch the small strips of card and stick them at the top and bottom of the beige card.

Kaart 5 *Card 5*

Karton 14,8 x 21 cm en 13,8 x 9,5 cm wit, 14,2 x 9,9 cm donkerblauw P06 • Model 5 • 2 cm brede strookjes van enveloppen blauw 4x en envelop rood • Cup uit papier Sport (19 lin 20290 bij D) • 7 x 3 cm papier blauw voor handvat • Holografisch papier zilver • Hoekschaar Nostalia (F)

Card: white (14.8 x 21 cm and 13.8 x 9.5 cm) and dark blue P06 (14.2 x 9.9 cm) • Pattern 5 • 2 cm wide strips from four blue envelopes and one red envelope • Cup from sports paper (19 lin 20290 from D) • Blue paper for the handle (7 x 3 cm) • Silver holographic paper • Nostalgia corner scissors (F)

Kaart 6 *Card 6*

Karton 14,8 x 21 cm blauw, 14 x 8,8 cm crème • 14 x 9,3 cm envelop donkerblauw • Model 6 • 2 cm brede strookjes van enveloppen blauw 3x, van gemarmerd papier en van origami marmer (12048) • 8 x 3 cm origami marmer voor A • 12 x 4 cm donkerblauw papier voor B en C • Holografisch papier zilver • Fineliner zwart • Hoekpons Speer (Carl)

Card: blue 14.8 x 21 cm) and cream (14 x 8.8 cm) • Dark blue envelope (14 x 9.3 cm) • Pattern 6 • 2 cm wide strips from three blue envelopes, marbled paper and marbled origami paper (12048) • Marbled origami paper for section A (8 x 3 cm) • Dark blue paper for sections B and C (12 x 4 cm) • Silver holographic paper • Black fine-liner • Spear corner punch (Carl)

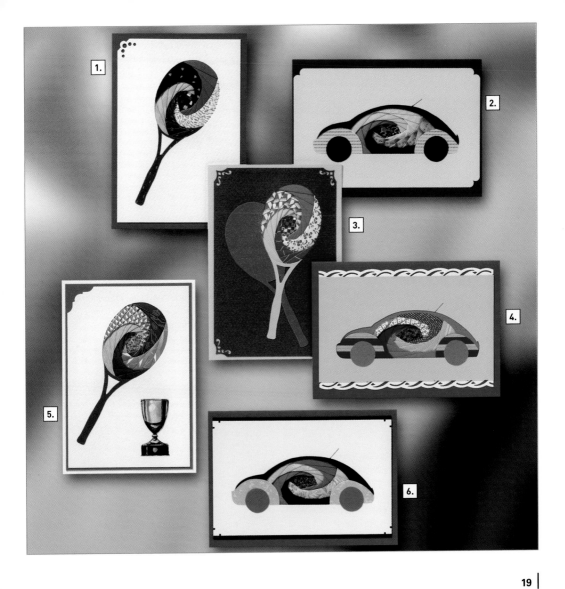

Gelukshandje
Good luck hand

Kaart omslag
Card on the cover

Karton 14,8 x 21 cm roze cA481, 13,5 x 9,5 cm warmroze cA485 en 13 x 9 cm wit • Model 7 • 2,5 cm brede strookjes van enveloppen in roze en terracotta (Vrienden van de Goede Wijnen en Diaconessenhuis Utrecht) en origami roze gebloemd en rozerood (13038 en 13004) • Holografisch papier zilver • 3-in-1 hoekpons Hearts (F)

Card: pink cA481 (14.8 x 21 cm), warm pink cA485 (13.5 x 9.5 cm) and white (13 x 9 cm) • Pattern 7 • 2.5 cm wide strips from pink and terracotta envelopes and pink flowered and red-pink origami paper (13038 and 13004) • Silver holographic paper • Hearts 3-in-1 corner punch (F)

Kaart 1 *Card 1*

Karton 14,8 x 21 cm donkergroen cA309, 14 x 9,4 cm lentegroen cA305 en 13,5 x 9 cm wit • Model 7 • 2,5 cm brede strookjes van origami groen klaverblad, strepen en effen groen (12103, 12014 en 13032) en designpapier Muizentrapje groen (cp 104 bij D) • Holografisch papier goud • Hoekschaar Celestial (F)
Pons twee hoeken van de witte kaart en snijd de hand uit.

Card: dark green cA309 (14.8 x 21 cm), spring green cA305 (14 x 9.4 cm) and white (13.5 x 9 cm) • Pattern 7 • 2.5 cm wide strips of green cloverleaf, striped and green origami paper (12103, 12014 and 13032) and green paper chain pattern paper (cp 104 from D) • Gold holographic paper • Celestial corner scissors (F)
Punch two corners of the white card and cut out the hand.

Kaart 2 *Card 2*

Karton 14,8 x 21 cm goudgeel cA247, 13,5 x 9,7 cm terracotta cA549, 13 x 9,2 cm sinaasappel P135 en 12,5 x 8,7 cm wit • Model 7 • 2,5 cm brede strookjes van IVpapier goud (setje geel), envelop geel (ANWB), origami zalm (13045) en designpapier Tulpjes (cp 931 bij D) • Holografisch papier goud • Hoekschaar Regal (F) • 4-in-1 embospons 8311 (MakeMe!) Bewerk de hoeken van de witte kaart geduldig met de embospons en knip de hoeken van de oranje kaart met de hoekschaar.

Card: golden yellow cA247 (14.8 x 21 cm), terracotta cA549 (13.5 x 9.7 cm), orange P135 (13 x 9.2 cm) and white (12.5 x 8.7 cm) • Pattern 7 • 2.5 cm wide strips of gold IF paper (yellow set), a yellow envelope, salmon origami paper (13045) and tulip pattern paper (cp 931 from D) • Gold holographic paper • Regal corner scissors (F) • 4-in-1 embossing punch 8311 (MakeMe!)
Carefully punch the corners of the white card using the embossing punch and cut the corners of the orange card using the corner scissors.

Kaart 3 *Card 3*

Karton 14,8 x 21 cm helsteenrood C505, 14,8 x 9,3 cm wit • Transparant 14,5 x 9,7 cm zuurstokroze P150 • Model 7 • 2,5 cm brede strookjes van origami wijnrood, roze, roze stip, oudroze (13032, 13037, 13013, 13004) • Holografisch papier zilver • Cirkelsnijder en pons Victoriaans (MakeMe!) Snijd de ronding aan de bovenkant van de witte kaart en pons 2x het kleine motief. Snijd de hand uit en vul met de strookjes. Snijd ook een ronding aan de bovenkant van het transparantpapier.

Card: brick red C505 (14.8 x 21 cm) and white (14.8 x 9.3 cm)
• Transparent candy pink paper P150 (14.5 x 9.7 cm) • Pattern 7 • 2.5 cm wide strips of wine red, pink, pink dot and old rose origami paper (13032, 13037, 13013 and 13004) • Silver holographic paper • Circle cutter and Victorian punch (MakeMe!) Cut the curve at the top of the white card and punch two small patterns. Cut the hand out and fill it with strips. Also cut a curve at the top of the transparent paper.

Kaart 4 *Card 4*

Karton 14,8 x 21 cm koningsblauw P136 en 13 x 9 cm wit
• Model 7 • 2,5 cm brede strookjes van enveloppen blauw 2x (Air Miles, InHolland) en IVpapier blauw 2x • Holografisch papier zilver • 3-in-1 hoekpons Heart
Pons één hoek van de witte kaart en versier met losse hartjes.

Card: royal blue P136 (14.8 x 21 cm) and white (13 x 9 cm)
• Pattern 7 • 2.5 cm wide strips from two blue envelopes and two pieces of blue IF paper • Silver holographic paper
• Heart 3-in-1 corner punch
Punch one corner of the white card and decorate the card with hearts.

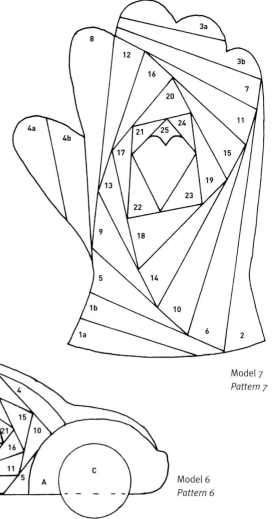

Model 7
Pattern 7

Model 6
Pattern 6

Maxikaart caleidoscoop
Kaleidoscope Maxi cards

Beide kaarten worden gemaakt volgens de beschrijving bij kaart 1 en passen in een A4 formaat envelop.

Both cards are made according to the instructions given for card 1 and fit in an A4 envelope.

Kaart 1 *Card 1*

Karton 20 x 29 cm oranje C453, 25,3 x 19,2 cm zandgeel C407 en 22 x 18,2 cm kerstrood P43 • Model 8 • 2 cm brede strookjes van origami rood, oranje en geel parelmoer (13004 en 13045) • Holografisch papier goud • Hoekjes van Silhouet Art 13

Snijd de zeshoek uit de rode kaart. Vouw zes strookjes (hier: 3x oranje en 3x geel) van 8 x 1,5 cm aan beide lange zijden om tot 8 x 0,6 cm en bedek er kleur om kleur de startstroken mee. Plak een kant op de kaart, knip de andere kant in het midden af en plak aan elkaar. Van elke driehoek zijn nu al twee vakjes bedekt! Ga verder als bij technieken. Versier de kaart met vier hoekjes Silhouet Art.

Card: orange C453 (20 x 29 cm), sand yellow C407 (25.3 x 19.2 cm) and Christmas red P43 (22 x 18.2 cm) • Pattern 8 • 2 cm wide strips of red, orange and yellow mother-of-pearl origami paper (13004 and 13045) • Gold holographic paper • Corners from Silhouette Art 13 sheet

Cut the hexagon out of the red card. Fold three orange and three yellow strips (8 x 1.5 cm) into strips of 8 x 0.6 cm to start the pattern. Place them on the starting sections of the pattern in alternating colours. Stick one end to the card, cut them at an angle or weave them and stick them all down together. Two sections of each triangle will now be covered. Continue as described in Techniques. Decorate the card with four Silhouet Art corners.

Kaart 2 *Card 2*

Karton 20 x 29 cm groen cA367, 19 x 26,3 cm donkerblauw cA417 en 18 x 19,6 cm crème cA241 • 6 x 18 cm zeegroen parelkarton • Model 8 • 2 cm brede strookjes van papier Blauwe roosjes en Blauwe leeuwen (cp 15 en cp 160 bij D) en origami donkerblauw (11025) • Holografisch papier zeegroen • Pons Lim

Kleur evt. met kleurpotlood de kopie van dit model in vóór het IRISvouwen. Let op: de kleuren wisselen van plaats! Pons de randen van de blauwe kaart.

Maak 6 startstrookjes als boven maar nu 2x donkerblauw, 2x crème met leeuwen en 2x blauw met roosjes. Leg ze om en om op de startstroken van het model. Werk verder als bij kaart 1. Snijd 2 stroken van 3 x 18 cm van het parelpapier en plak ze boven en onder de crème kaart.

Card: green cA367 (20 x 29 cm), dark blue cA417 (19 x 26.3 cm) and cream cA241 (18 x 19.6 cm) • Sea green mother-of-pearl card (6 x 18 cm) • Pattern 8 • 2 cm wide strips of blue rose paper and blue lion paper (cp 15 and cp 160 from D) and dark blue origami paper (11025) • Sea green holographic paper • Punch (Lim)

If you wish, use a coloured pencil to colour in the copy of this pattern before doing the Iris folding. Note: the colours change position. Punch the edges of the blue card. Make six strips as described above, but this time make 2 dark blue strips, two blue strips with lions and two blue strips with roses. Place them on the starting sections in alternating colours. Continue as described for card 1.

Cut two strips (3 x 18 cm) from the mother-of-pearl paper and stick them at the top and bottom of the cream card.

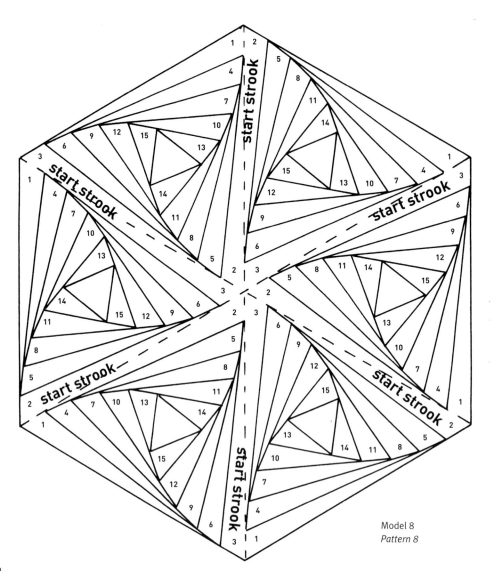

Model 8
Pattern 8

1.

2.

Koffiemolen *Coffee grinder*

De koffiemolen wordt gemaakt volgens de beschrijving bij kaart 1.

The coffee grinder is made according to the instructions given for card 1.

Kaart omslag
Card on the cover

Karton 13 x 26 cm cerise P33, 11,4 x 11 cm bloesem P34 en 11,4 x 9,8 cm wit • Model 9 • 2 cm brede strookjes van papier Klassiek 2x (9 aa 144696 bij D) en origami rozerood en roze (13004)
• 18 x 2 cm donkere rand van Klassiek voor delen A, C en D
• 5 x 4 cm rozerood voor deel B • Holografisch papier goud
• 3-in-1 hoekpons Lace

Card: cerise P33 (13 x 26 cm), blossom P34 (11.4 x 11 cm) and white (11.4 x 9.8 cm) • Pattern 9 • 2 cm wide strips of Classic paper x2 (9 aa 144696 from D) and red-pink and pink origami paper (13004) • Strip of Classic paper (18 x 2 cm) for sections A, C and D • Red-pink paper (5 x 4 cm) for section B • Gold holographic paper • Lace 3-in-1 corner punch

Kaart 1 *Card 1*

Karton 14,8 x 21 cm donkergeel cA245, 13 x 9,4 cm terracotta cA549 en 12,5 x 8,8 cm wit • Model 9 • 2 cm brede strookjes van enveloppen in geel, oranje, bruin • 7 x 5 cm envelop blauw voor delen A, C en D • 5 x 4 cm envelop bruin voor deel B • Holografisch papier goud • 3-in-1 hoekpons Lace
Pons twee hoeken van de witte kaart en snijd de delen A, B en het bakje samen met deel D uit, of knip deel A van blauw

papier. Bedek deel B met bruin papier en de delen A en D met blauw papier. Vul het bakje met de IRISvouw strookjes. Trek deel C over op blauw papier, knip het uit en plak het op de balk, onder deel B.

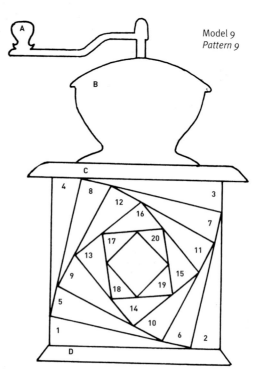

Model 9
Pattern 9

Card: dark yellow cA245 (14.8 x 21 cm), terracotta cA549 (13 x 9.4 cm) and white (12.5 x 8.8 cm) • Pattern 9 • 2 cm wide strips from yellow, orange and brown envelopes • Blue envelope (7 x 5 cm) for sections A, C and D • Brown envelope (5 x 4 cm) for section B • Gold holographic paper • Lace 3-in-1 punch
Punch two corners of the white card and cut out sections A, B and the coffee pot together with section D. Cover section B with brown envelope and sections A and D with blue envelope. Fill the coffee pot with the strips of IF paper. Turn the card over and stick the handle between sections A and B. Copy section C onto blue paper. Cut it out and stick it on the bar under section B.

Kaart 2 *Card 2*

Karton 14,8 x 21 cm violet P20, 13 x 9 cm lavendelblauw C150 en 12,3 x 8,7 cm wit • 13,5 x 9,4 cm origami oranje (13038) • Model 9 • 2 cm brede strookjes van origami oranje en oudroze (13038) en papier Klassiek in oranje en oudroze (9 aa 144696 bij D) • 18 x 2 cm donkere rand Klassiek voor delen A, C en D • 5 x 4 cm oudroze voor deel B • Holografisch papier goud • 3-in-1 hoekpons Lace

Card: violet P20 (14.8 x 21 cm), lavender blue C150 (13 x 9 cm) and white (12.3 x 8.7 cm) • Orange origami paper (13038) (13.5 x 9.4 cm) • Pattern 9 • 2 cm wide strips of orange and old rose origami paper (13038) and orange and old rose Classic paper (9 aa 144696 from D) • Strip of dark Classic paper for sections A, C and D • Old rose paper (5 x 4 cm) for section B • Gold holographic paper • Lace 3-in-1 corner punch

Kaart 3 *Card 3*

Karton 13 x 26 cm rauwe sienna C374, 12,5 x 12,5 cm marineblauw cA420, 11 x 11 cm rode aarde C130 en 10,5 x 10,5 cm roomwit • Model 9 • 2 cm brede strookjes van papier Diagonaal blauw 2x (cp 152 bij D), envelop beige en origami roze (13039) • 7 x 5 cm papier bruin voor delen A, C en D

• 5 x 4 cm origami roze voor deel B: Holografisch papier zilver • Randornament pons Leaves
Pons de rand van de kleinste kaart.

Card: raw sienna C374 (13 x 26 cm), marine blue cA420 (12.5 x 12.5 cm), red earth C130 (11 x 11 cm) and off-white (10.5 x 10.5 cm) • Pattern 9 • 2 cm wide strips of diagonal blue paper (x2) (cp 152 from D), a beige envelope and pink origami paper (13039) • Brown paper (7 x 5 cm) for sections A, C and D • Pink origami paper (5 x 4 cm) for section B • Silver holographic paper • Leaves border ornament punch Punch the edge of the smallest card.

Kaart 4 *Card 4*

Karton 13 x 26 cm aquablauw cA427 en 11,5 x 8,5 cm wit • Model 9 • 2 cm brede strookjes van designpapier Theepot blauw 2x (17 FIO 310 bij D), envelop blauw en IVpapier blauw • 7 x 5 cm designpapier effen donkerblauw voor delen A, C en D • 5 x 4 cm IVpapier blauw voor deel B • Holografisch papier zilver • Theepot uit designpapier

Card: aqua blue cA427 (13 x 26 cm) and white (11.5 x 8.5 cm) • Pattern 9 • 2 cm wide strips of blue tea pot pattern paper (17 FIO 310 from D), a blue envelope and blue IF paper • Dark blue pattern paper (7 x 5 cm) for sections A, C and D • Blue IF paper (5 x 4 cm) for section B • Silver holographic paper • Tea pot from the pattern paper

Toverhoed *Magician's hat*

Kaart 1 *Card 1*

Karton 13 x 26 cm aqua, 11,5 x 11,5 cm wit en 11 x 11 cm marineblauw cA420 • Model 10 • 2 cm brede strookjes van enveloppen in aqua en blauwwit en holografisch papier sneeuwvlok (EmJe) • Holografisch papier zilver • 3-in-1 hoekpons Celestial
Pons de bovenste hoeken van de blauwe kaart en snijd de hoed, zonder rand, uit de blauwe kaart. Plak voor de stevigheid een stukje dubbelzijdig plakband bij het kruisje op het kaartkarton. Vul de hoed met de strookjes, trek rand A over en plak hem aan de voorkant op.

Card: aqua (13 x 26 cm), white (11.5 x 11.5 cm) and marine blue cA420 (11 x 11 cm) • Pattern 10 • 2 cm wide strips from aqua and blue-white envelopes and snowflake holographic paper (EmJe) • Silver holographic paper • Celestial 3-in-1 corner punch
Punch the upper corners of the blue card and cut the hat out of the blue card without the brim. To give it some extra strength, stick double-sided adhesive tape on the card marked by the cross. Fill the hat with strips. Copy brim A and stick it on the front.

Kaart 2 *Card 2*

Karton 13 x 26 cm koningsblauw P136 en 9,5 x 9,5 cm wit • Model 10 • 2 cm brede strookjes van enveloppen in aqua en blauw en origami blauw bloem (12073) • Holografisch papier zilver • Hoekpons Pijl
Geef de hoed vaart door strookjes holografisch papier van 4 x 0,15 cm.

Card: royal blue P136 (13 x 26 cm) and white (9.5 x 9.5 cm) • Pattern 10 • 2 cm wide strips from aqua and blue envelopes and blue flower origami paper (12073) • Silver holographic paper • Arrow corner punch
Create a sense of speed using strips of holographic paper (4 x 0.15 cm).

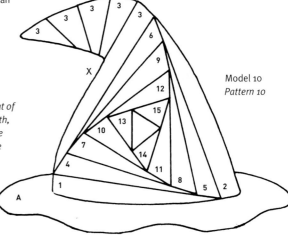

Model 10
Pattern 10

Kaart 3 *Card 3*

Karton 13 x 26 cm cerise cA440, 11 x 11 cm paars spiegel-
karton P124 en 10 x 10 cm paars cA426 • Model 10 • 2 cm
brede strookjes van origami roze, lichtroze en lila bloem (2x
13004 en 12073) • Hoekpons Feest (Lim)
Laat 0,1 cm vrij tussen hoed en rand.

Card: cerise cA440 (13 x 26 cm), purple mirror P124 (11 x 11 cm)
and purple cA426 (10 x 10 cm) • Pattern 10 • 2 cm wide strips
of pink, pale pink and lilac flower origami paper (2x 13004
and 12073) • Party corner punch (Lim)
Leave 0.1 cm of space between the hat and the brim.

Kaart 4 *Card 4*

Karton 13 x 26 cm zachtgeel P132, 11 x 11 cm bruinmetallic
en 10,5 x 10,5 cm donkergeel cA245 • Model 10 • 2 cm brede
strookjes van origami effen bruin en bruine takjes (13038) en
designpapier Engeltjes (21 ct 01 bij D) • Holografisch papier
goud • 3-in1 hoekpons Celestial • Pons Konijn

Card: pale yellow P132 (13 x 26 cm), metallic brown (11 x
11 cm) and dark yellow cA245 (10.5 x 10.5 cm) • Pattern 10
• 2 cm wide strips of brown and brown branch origami paper
(13038) and Angel pattern paper (21 ct 01 from D) • Gold holo-
graphic paper • Celestial 3-in-1 corner punch • Rabbit punch

Kaart 5 *Card 5*

Karton 13 x 26 cm grijs, 11 x 11 cm paars cA426 en 10,7 x
10,7 cm oranje cA545 • Model 10 • 2 cm brede strookjes van
enveloppen in paars en grijs en origami Pauwenstaart (12115)
• Hoekpons Fontein (Lim)
Versier de hoed met een uitgeknipte pauwenstaart.

Card: grey (13 x 26 cm), purple cA426 (11 x 11 cm) and orange
cA545 (10.7 x 10.7 cm) • Pattern 10 • 2 cm wide strips of
purple and grey envelopes and peacock tail origami paper
(12115) • Fountain corner punch (Lim)
Decorate the hat using a cut out peacock's tail.

Kaart 6 *Card 6*

Karton 13 x 26 cm groen cA367, 10,5 x 10,5 cm lentegroen
cA305 en 10 x 10 cm wit • Model 10 • 2 cm brede strookjes
van enveloppen in groen en lichtgroen(o.a. CFI) en origami
groene bloem (12073) • Holografisch papier goud • 3-in-1
hoekpons Celestial
Knip de rand van de hoed uit groen en uit lichtgroen papier.
Plak ze iets verschoven onder de hoed.

Card: green cA367 (13 x 26 cm), spring green cA305 (10.5 x
10.5 cm) and white (10 x 10 cm) • Pattern 10 • 2 cm wide
strips from green and light green envelopes and green flower
origami paper (12073) • Gold holographic paper • Celestial
3-in-1 corner punch
Cut the brim of the hat out of green and light green paper.
Stick them under the hat slightly out of position.

Kaart 7 *Card 7*

Karton 13 x 26 cm zwart, 11 x 11 cm steenrood P35, 10,5 x
10,5 cm wit en 10 x 10 cm donkerblauw P06 • Model 10 • 2 cm
brede strookjes van designpapier Hondjes (8 sal 101 bij D),
origami brons (12048) en envelop lichtblauw • Holografisch
papier zilver • Hoekpons Accolade
Haal een strookje brons papier van 1,5 cm door de pons en druk
om de 0,2 cm af voor de 'vleermuizen'.

Card: black (13 x 26 cm), brick red P35 (11 x 11 cm), white
(10.5 x 10.5 cm) and dark blue P06 (10 x 10 cm) • Pattern 10
• 2 cm wide strips of dog pattern paper (8 sal 101 from D),
bronze origami paper (12048) and a light blue envelope
• Silver holographic paper • Bracket corner punch
Thread a strip of bronze paper (1.5 cm wide) through the
punch and punch every 0.2 cm to make the bats.

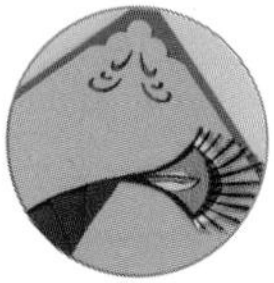

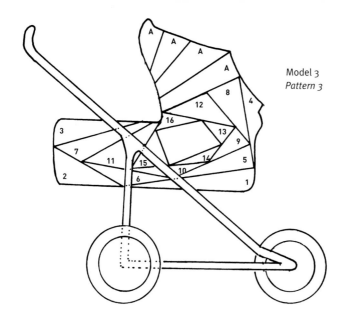

Model 3
Pattern 3

Met dank aan:
Kars & Co B.V. te Ochten
Damen, Papier Royaal, te Den Haag
Pergamano International te Uithoorn
Ori-Expres te Reusel

De gebruikte materialen zijn door winkeliers te bestellen bij:
Kars & Co B.V. te Ochten, www.kars.biz
Papicolor International te Utrecht
Em-Je B.V. te Zuidwolde Dr.
Pergamano International te Uithoorn

Het gebruikte papier is ook voor particulieren te koop bij:
Damen, Papier Royaal, Noordeinde 186 te Den Haag,
www.papier-royaal.nl
Ori-Expres te Reusel, www.ori-expres.nl

Many thanks to
Kars & Co B.V. in Ochten, the Netherlands.
Damen Papier Royaal in The Hague, the Netherlands
Pergamano International in Uithoorn, the Netherlands
Ori-Expres in Reusel, the Netherlands

The materials used can be ordered by shopkeepers from:
Kars & Co B.V. in Ochten, the Netherlands (www.kars.biz)
Papicolor International in Utrecht, the Netherlands.
Em-Je B.V. in Zuidwolde, the Netherlands
Pergamano International in Uithoorn, the Netherlands

Card-makers can purchase the paper from:
Damen Papier Royaal at Noordeinde 186 in The Hague,
the Netherlands (www.papier-royaal.nl)
Ori-Expres in Reusel, the Netherlands (www.ori-expres.nl)